50 façons de faire du pain pour les débutants

Un guide facile avec plus de 50 recettes de pain à préparer à la maison

Andrew Lambert

Tous les droits sont réservés.

Avertissement

Les informations contenues dans i sont destinées à servir de collection complète de stratégies sur lesquelles l'auteur de cet eBook a effectué des recherches. Les résumés, stratégies, trucs et astuces ne sont que des recommandations de l'auteur, et la lecture de cet eBook ne garantira pas que les résultats refléteront exactement les résultats de l'auteur. L'auteur de l'eBook a fait tous les efforts raisonnables pour fournir des informations actuelles et exactes aux lecteurs de l'eBook. L'auteur et ses associés ne seront pas tenus responsables de toute erreur ou omission involontaire qui pourrait être trouvée. Le contenu de l'eBook peut inclure des informations provenant de tiers. Les documents de tiers comprennent les opinions exprimées par leurs propriétaires. En tant que tel, l'auteur de l'eBook n'assume aucune responsabilité pour tout matériel ou avis de tiers.

TABLE DES MATIÈRES

INTRODUCTION

Le pain est un aliment traditionnel et bien connu qui existait sous nos latitudes bien avant les pommes de terre, le riz ou les pâtes. Puisque le pain fournit non seulement de l'énergie, mais aussi des vitamines, des minéraux et des oligo-éléments, le produit est prédestiné comme base d'un régime.

Le pain comme base de régime Le pain comme base de régime

Le régime du pain a été développé en 1976 à l'Université de Giessen. Depuis lors, un certain nombre de modifications ont été apportées, mais elles ne diffèrent les unes des autres que par des nuances. La base de l'alimentation du pain est le pain alimentaire riche en glucides.

Le pain est fabriqué à partir de céréales, de sorte que le pain peut différer selon le type et le traitement du grain. Les produits à forte teneur en grains entiers sont préférés dans le régime du pain. Ces pains se caractérisent par une teneur élevée en oligo-éléments et en minéraux, ils contiennent également des fibres. Le pain blanc fortement transformé n'est pas interdit dans le régime du pain, mais ne doit être consommé qu'en petites quantités.

COMMENT FONCTIONNE LE RÉGIME PAIN

Le régime du pain est essentiellement un régime qui fonctionne en réduisant l'apport calorique. La quantité totale d'énergie pour la journée est réduite à 1200 à 1400 calories dans le régime du pain. À l'exception d'un petit repas chaud à base de produits céréaliers, ces calories ne sont fournies que sous forme de pain.

Il n'est pas nécessaire que ce soit de la viande sèche, du fromage blanc faible en gras avec des herbes ou des lanières de légumes. Il n'y a pratiquement pas de limites à l'imagination, ce qui explique le grand nombre de recettes pour le régime du pain. Les boissons comprises dans le régime du pain comprennent de l'eau et du thé sans sucre. De plus, une boisson au pain est prise avant chaque repas pour faciliter la digestion et stimuler le système immunitaire.

AVANTAGES DU RÉGIME PAIN

À moins que l'auto-tromperie ne soit commise lors du placement des sandwichs, l'un des avantages du régime à base de pain, comme avec la plupart des régimes hypocaloriques, est un succès rapide. Mais le régime pain présente d'autres avantages réels par rapport aux autres régimes. Le régime alimentaire peut être conçu pour être très équilibré afin qu'aucun symptôme de carence ne soit attendu.

En principe, un régime à base de pain peut donc même être réalisé sur une longue période de temps sans qu'aucun effet néfaste sur la santé ne soit attendu. Un autre avantage est la facilité avec laquelle le régime peut être effectué. La plupart des repas sont froids et peuvent être préparés. En conséquence, même une personne qui travaille peut facilement suivre son régime en mangeant le pain qu'elle a apporté avec elle au lieu de manger à la cantine.

INCONVÉNIENTS DU RÉGIME PAIN

Le régime pain ne présente pas d'inconvénients particuliers résultant de sa composition. Cependant, si le régime pain n'est effectué que temporairement, puis revient au mode de vie précédent, l'effet yo-yo redouté se produit également avec le régime pain. Pendant la phase de faim pendant le régime, le taux métabolique de base du corps a diminué.

Après la fin du régime, la prise de poids se produit donc

rapidement et généralement à un niveau plus élevé qu'avant le

début du régime.

PAIN SANS GLUTEN

Portions: 1

INGRÉDIENTS

- 250 g   Farine, noire, sans gluten
- 150 grammes   Farine, légère, sans gluten
- 100g   Farine de sarrasin
- 1 cube Levure, fraîche
- 1 ½ cuillère à café   sel
- 430 ml Eau (chaude
- 1 ½ cuillère à soupe de graines de chia
- 2 cuillères à café \ vinaigre de cidre de pomme

PRÉPARATION

Dissoudre la levure fraîche dans l'eau tiède.

Mélangez 500 g de farine sans gluten - j'utilise souvent le mélange comme indiqué ci-dessus - avec le sel, le vinaigre, les graines de chia et le mélange levure-eau avec une cuillère en bois, de sorte que la farine ne soit plus visible.

Couvrez bien le bol et laissez-le reposer au réfrigérateur pendant au moins 12 heures à 5 jours, peut-être plus.

Vous pouvez cuisiner quand vous en avez envie et avoir le temps. Sortez la pâte du réfrigérateur au moins 2 à 3 heures avant la cuisson, ne remuez pas pour que la structure ne soit pas détruite. Verser dans un moule à cake rectangulaire huilé, couvrir et laisser au chaud.

Ne préchauffez pas le four. Cuire au four à 200 ° C haut et bas environ 60 minutes. Retirer du moule et cuire encore 10 à 15 minutes. Appliquez un test de cliquetis.

Astuce: Il s'agit d'une recette flexible, variations possibles avec des épices à pain, des céréales, des graines, des carottes et des herbes.

PAIN BERLIN - RECETTE DE GRAND-MÈRE

Portions: 10

INGRÉDIENTS

- 500 g de farine
- 5 cuillères à soupe   huile
- 3 cuillères à soupe   Poudre de cacao
- ¼ litre   lait
- 350 g de sucre
- 1 cuillère à café de cannelle
- 2 cuillères à café   levure chimique
- 400 grammes   Noisettes, entières

PRÉPARATION

Mélangez les ingrédients secs, ajoutez l'huile au lait et mélangez avec les ingrédients secs pour former une pâte lisse (qui peut être un peu dure). Étalez sur une plaque à pâtisserie graissée et étalez les noisettes dessus et pressez dans la pâte. Cuire au four environ 40 minutes à 160-170 degrés, il peut légèrement brunir!

Retirer du plateau et couper immédiatement à la taille désirée, par exemple la taille de biscuit.

Astuce: si vous l'aimez, étalez seulement environ 2/3 d'une plaque à pâtisserie, le tout sera un peu plus épais.

MARES APRÈS 3 MINUTES - RECETTE DE PAIN

Portions: 1

INGRÉDIENTS

- 450 ml lait
- 500 grammes   Farine (farine de blé)
- 1 cube Levure
- 2 cuillères à soupe   du sucre
- 2 prix   sel
- 2 cuillères à soupe   le vinaigre
- 100g   Raisins secs
- 100g   Chocolat, en morceaux

PRÉPARATION

Mélangez la levure avec le lait chaud. Ajouter tous les autres ingrédients et bien mélanger. Mettez dans un plat graissé et mettez au four froid. Couper dans le sens de la longueur après 10 minutes. Après 40 minutes, badigeonner de lait ou de jaune d'oeuf battu.

LA CUISSON DU PAIN - LE CHEF D'ŒUVRE

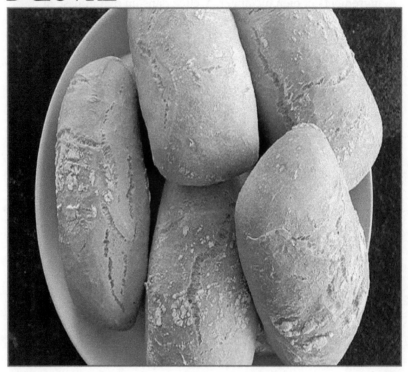

Portions: 4

INGRÉDIENTS

- 90 g de farine de blé entier
- 60 g Farine de blé type 550
- 150 g d'eau
- 1 ½ g de levure fraîche
- 60 g de farine de seigle type 997
- 60 g d'eau
- 1 g de sel
- 12 g de levure

- 60 g Farine de blé type 550
- 50 g d'eau
- 6 g de levure
- 240 g Farine de blé type 550
- 150 g d'eau
- 90 g de farine d'épeautre type 630
- 12 g de sel
- 12 g d'huile d'olive
- 50 g d'eau

PRÉPARATION

Pré-pâte

Pour la pré-pâte, mélanger tous les ingrédients (90 g de farine de blé entier, 60 g de farine de blé (type 550), 150 g d'eau (20 degrés Celsius) et 1,5 g de levure fraîche). Ensuite, laissez mûrir pendant deux heures à température ambiante et encore 22 à 24 heures à 5 degrés Celsius. Seigle

Levain

Pour le levain de seigle, mélanger tous les ingrédients (60 g de farine de seigle (type 997), 60 g d'eau (45 degrés Celsius), 1 g de sel et 12 g de démarreur) et laisser mûrir 12 à 16 heures à température ambiante.

Levain de blé

Pour le levain de blé, mélanger tous les ingrédients (60 g de farine de blé (type 550), 50 g d'eau (45 degrés Celsius) et 6 g de pichets) ensemble et laisser mûrir pendant 6-8 heures à 26-28 degrés Celsius. Conservez ensuite pendant 6 à 12 heures à 5 degrés Celsius.

Pâte d'autolyse

Pour la pâte d'autolyse, mélanger 240 g de farine de blé (type 550) et 150 g d'eau (65 degrés Celsius) et laisser reposer 60 minutes (température de la pâte environ 35 degrés Celsius).

Principale

pâte Pour la pâte principale, la pré-pâte, le levain de seigle, le levain de blé, la pâte d'autolyse avec 90 g de farine d'épeautre (type 630), 12 g de sel, 12 g d'huile d'olive et 50 g d'eau (100 degrés Celsius) pendant 5 minutes sur le réglage le plus bas et pendant 5 minutes supplémentaires, pétrir jusqu'à ce que la température de la pâte soit d'environ 26 degrés Celsius. Ne versez pas lentement l'eau chaude jusqu'à ce que vous ayez un peu mélangé les autres ingrédients.

Laisser mûrir la pâte pendant 60 minutes à température ambiante. Après 30 minutes, étirez et pliez.

Arrondissez doucement la pâte et mettez-la dans un panier de fermentation fariné avec du riz ou de la farine de pomme de terre, l'extrémité tournée vers le bas. Couvrir de papier d'aluminium et laisser mûrir 8 à 10 heures à 5 degrés Celsius.

Faire du pain

Avec juste un peu de cuisson et la fin à 250 degrés Celsius, tombant à 230 degrés Celsius (après 10 minutes, éteignez), cuire dans la poêle pendant 50 minutes.

ROULEAUX DE PAIN COMME DE LA BOULANGERIE

Portions: 1

INGRÉDIENTS

- 500 g de farine
- 350 ml l'eau
- 1 cube Levure
- 1 ½ cuillère à café   sel

PRÉPARATION

Mettez le tout dans la machine à pain ou faites une pâte à levure de la manière habituelle - laissez reposer pendant env. 90

minutes. Ensuite, formez des rouleaux et faites simplement cuire au four dans un four préchauffé à 220 degrés pendant environ 20-25 minutes.

Saupoudrer de graines de sésame ou de graines de pavot au goût avant la cuisson.

Pendant env. 9 à 12 rouleaux, selon la taille souhaitée.

GÂTEAU AUX POMMES DE TERRE - PEUT ÉGALEMENT

Portions: 1

INGRÉDIENTS

- 300 grammes   Pomme (s) de terre, cuites, pressées dans la presse
- 1 cube Levure
- 1 cuillère à café de sel
- 300 ml Eau, tiède
- 1 pincée (s) de sucre
- 500 grammes   Farine de blé, grains entiers ou

- Farine, sans gluten
- 1 cuillère à café de marjolaine
- 150 grammes   Jambon, coupé en dés
- 6 cuillères à soupe   Graines de citrouille, peut-être plus
- n. Mélange d'épices pour pain
- De l'eau pour le brossage
- Peut-être. Jaunes d'oeufs à brosser

PRÉPARATION

Dissoudre la levure et le sucre dans l'eau, laisser lever 10 minutes. Mélangez la farine avec le sel et la marjolaine. Ajouter les pommes de terre pressées et la levure, bien pétrir et bien laisser lever (le volume doit à peu près doubler).

Hachez grossièrement 4 cuillères à soupe de graines de citrouille et pétrissez dans la pâte avec les cubes de jambon. Façonnez une boule de pâte et mettez-la dans un moule (j'aime utiliser l'Ultra de Tupper). Badigeonner la surface avec de l'eau ou un mélange d'eau et de jaune d'oeuf, saupoudrer du reste des graines (presser légèrement). J'aime aussi utiliser quelques graines de plus pour la pâte.

Laisser lever à nouveau pendant 15 minutes. Cuire au four à 200 ° C (four ventilé à 180 ° C) pendant environ 60 minutes.

Si vous souhaitez cuire le pain sans gluten: Vous n'avez pas besoin de plus de liquide que spécifié, sinon la pâte sera trop lourde et le pain sera collant.

ROULEAUX DE PAIN COMME DE LA BOULANGERIE

Portions: 4

INGRÉDIENTS

- 333 grammes   Farine type 405
- 125 ml l'eau
- 100 ml lait
- 7 g de levure sèche
- 1 cuillère à soupe   du sucre
- 1 cuillère à café de sel

PRÉPARATION

Bien mélanger tous les ingrédients et laisser lever la pâte à température ambiante pendant environ 1 heure. Façonnez la pâte en rouleaux et placez-la sur une plaque à pâtisserie préparée.

Laisser bronzer légèrement les rouleaux dans un four chaud à 190 ° C pendant environ 15 minutes, ajouter une touche d'eau si nécessaire. Ensuite, réglez brièvement le four à environ 200 ° C et faites cuire les rouleaux pendant environ 5 minutes jusqu'à ce qu'ils aient atteint la couleur brune désirée.

PAIN DE BLÉ MÉLANGÉ

Portions: 6

INGRÉDIENTS

- 400 grammes   Farine de seigle, type 1150, ou 997
- 600 grammes   Farine de blé, type 550
- 680 ml Eau, environ 38 degrés chaud
- 42 g de levure, fraîche
- 75 g de levain
- 17 g de sel iodé
- 15 g de sucre
- 50 g de margarine

PRÉPARATION

Pétrir tous les ingrédients dans une pâte avec le pétrin.

Le temps de pétrissage doit être d'au moins 4 à 6 minutes pour que la pâte soit belle et lisse et développe de bonnes propriétés adhésives.

Assurez-vous que la pâte ne soit pas trop molle si vous ne souhaitez pas la faire cuire dans un moule. Laisser lever la pâte pendant environ 15 minutes puis la façonner en rouleau.

Placez le rouleau à pâtisserie sur une plaque à pâtisserie avec du papier sulfurisé et saupoudrez-le d'eau. Chauffez d'abord le four à 50 degrés et laissez la pâte fermenter au four pendant environ 20-30 minutes.

Vaporisez de l'eau de temps en temps.

Lorsque le rouleau à pâtisserie a atteint le volume souhaité, retirez-le du four. Chauffer le four à 250 degrés et baisser la température à 210 degrés et mettre le plateau avec le pain dans le four. Versez maintenant 1/4 tasse d'eau froide au fond du four et fermez la porte du four. Ouvrez brièvement la porte après env. 3 minutes pour que la vapeur puisse être soutirée.

Personnellement, je travaille la pâte en boule et la place dans un panier de levée fariné. Lorsque le volume de pâte a atteint le sommet, je place une plaque à pâtisserie sur le panier de levée et je retourne le tout pour que la pâte soit maintenant sur la plaque à pâtisserie. Laisser le panier un peu plus longtemps pour que la pâte se détache et que le panier puisse être retiré sans coller.

Temps de cuisson total env. 50 minutes avec convection. Varie selon le type de four.

Si nécessaire, baissez la température à 200 degrés.

PAIN AUX GRAINES

Portions: 1

INGRÉDIENTS

- 400 g de levain, seigle à grains entiers
- 200 g de farine d'épeautre (grains entiers)
- 90 g de farine de sarrasin (grains entiers)
- 30 g de millet, entier
- 30 g de quinoa, entier
- 30 g de flocons, (flocons de 5 grains)
- 30 g de graines de citrouille
- 30 g de graines de tournesol

- 30 g de graines de lin
- 30 g de sésame
- 12 g de sel de mer
- 10 g de feuilles de navet
- 200 g d'eau tiède (env.)
- 10 g de levure, fraîche, facultatif (*)
- 3 cuillères à soupe de graines - mélange de sésame, graines de tournesol, graines de lin, graines de citrouille et flocons de 5 grains)

PRÉPARATION

Pétrir tous les ingrédients sauf les graines à saupoudrer dans une pâte homogène (robot culinaire, env. 7-10 min).

Couvrir et laisser reposer la pâte dans un endroit chaud pendant 30 minutes, puis pétrir à nouveau brièvement (2-3 minutes).

Saupoudrez la forme du BBA ou une forme de boîte avec la moitié des graines pour saupoudrer. Versez la pâte et lissez-la. Saupoudrez ensuite avec les graines restantes. Laisser le pain lever à nouveau dans un endroit chaud (1 à 3 heures, selon le pouvoir levant du levain et l'ajout de levure).

Pâtisserie:

BBA: Cuire le pain avec le programme "Cuisson uniquement" pendant 1 heure.

Four: Cuire le pain à environ 200 ° C pendant environ 50 à 60 minutes. (Puisque je fais toujours du pain dans le BBA, les informations pour la cuisson au four ne sont qu'un guide.)

Ensuite, laissez refroidir le pain sur une grille et laissez-le reposer dans la boîte à pain pendant une journée avant de le couper.

Les quantités indiquées sont suffisantes pour un pain pesant environ 1000g.

TROIS TYPES DE PAIN DE FÊTE

Portions: 10

INGRÉDIENTS

- 1 paquet de mélange à pâtisserie, pour pain fermier
- Quelque chose de sel
- 650 ml Eau, (tiède)
- Pour le remplissage:
- 75 grammes   Jambon cru, coupé en dés
- 3 cuillères à soupe   Fromage, entassé, Grana Padano (très jeune Padano et finement râpé)
- 1 cuillère à soupe.   Origan séché
- 4 Tomate (s), séchée (s), marinée à l'huile

- 1 cuillère à soupe.   Huile, (des tomates séchées et marinées)
- 3 cuillères à soupe   Graines de tournesol
- 3 cuillères à soupe   Coquelicot
- 3 cuillères à soupe   Sésame, (non pelé)
- 75 grammes   Salami séché à l'air (coupé en petits cubes)
- 6 olives noires (cœur puis coupées en morceaux)

PRÉPARATION

Pétrir la pâte selon les instructions sur le sachet, mais laisser lever pendant au moins 2 heures.

En attendant, râpez le fromage, hachez le salami, le jambon et la tomate.

Divisez la pâte en 3 parties égales. Pétrir un morceau de pâte avec du fromage, des morceaux de tomates et de l'origan et façonner un pain allongé.

Pétrir une partie avec les cubes de jambon et façonner en un pain allongé et pétrir la troisième partie avec les morceaux de salami et les olives, également former un pain allongé.

Retourner le jambon et le pain de salami dans les grains et laisser lever encore 30 minutes.

Préchauffez le four à 250 degrés (chaleur du haut et du bas), placez le pain sur une grille (recouverte de papier sulfurisé) et mettez-le dans le four chaud.

Placez un plat allant au four avec de l'eau dans le four et versez une demi-tasse d'eau directement sur la sole chaude du four, fermez immédiatement la porte. Cuire le pain pendant 10 minutes à 250 degrés, baisser le feu à 180 degrés et cuire encore 25 à 30 minutes.

Glacer le pain chaud avec un peu d'eau chaude, glacer le pain au fromage et aux tomates avec l'huile.

Alternativement, 12 à 15 mini rouleaux de fête peuvent être préparés à partir de chaque morceau de pâte. Réduisez ensuite le temps de cuisson à 5 minutes à 250 degrés et 8 à 10 minutes à feu réduit.

Vous pouvez bien sûr jouer avec les rappels à votre guise. C'est ainsi qu'il devient le "rhum-fort-pain"

Bien sûr, c'est encore moins cher et meilleur avec des farines auto-mélangées, mais surtout pour les débutants en boulangerie ou rarement les boulangers, le mélange est tout simplement le meilleur moyen de ne pas perdre l'intérêt et la plupart des boulangeries n'utilisent que des mélanges (dommage). Je ne peux pas recommander des machines à pain. Les pains sont loin d'être aussi beaux qu'au four, ils ont des trous et n'ont pas une forme attrayante.

1 HEURE DE PAIN

Portions: 2

INGRÉDIENTS

- ½ litre Eau, tiède
- 1 cube Levure
- 400 grammes   Farine d'épeautre
- 100g   Farine de sarrasin
- 1 cuillère à café sel
- 2 cuillères à soupe   Vinaigre de fruits
- ¾ tasse Graines de tournesol
- ¾ tasse sésame
- ¾ tasse graine de lin

PRÉPARATION

Pétrissez tous les ingrédients. Cuire au four pendant 1 heure à 220 degrés. Lors de la cuisson, mettez un bol d'eau réfractaire dans le four.

La pâte n'a pas besoin de lever. Si nécessaire, laissez refroidir le pain toute la nuit.

PAIN

Portions: 1

INGRÉDIENTS

- 500 g de farine, (farine de pain)
- 300 g d'eau
- 10 g de sel
- 1 sac de levure sèche ou 20 g de levure fraîche
- 1 pincée (s) de mélange d'épices pour pain, facultatif

PRÉPARATION

Préchauffer les pierres plus fines au four pendant 1/2 heure à 190 ° C de haut et de bas, les pierres épaisses pendant 1 heure pour que la pierre soit suffisamment chaude et que la pâte ne colle pas. Si vous n'êtes pas entièrement sûr, il est préférable de préchauffer la pierre un peu plus longtemps.

Pétrir tous les ingrédients à la main ou dans un robot culinaire pour former une pâte lisse qui doit être relativement ferme. Couvrir et laisser lever la pâte dans un endroit chaud pendant environ 1 heure. Juste avant que le pain passe au four, mettez un bol d'eau dans le four ou remplissez la lèchefrite d'eau et glissez-la sous la pierre. Cela crée la soi-disant vapeur qui rend le pain croustillant. Façonnez la pâte en un pain allongé. Badigeonner le dessus du pain avec de l'eau avec une brosse ou à la main. Cela crée une belle croûte. Ensuite, mettez le pain au four ou posez-le sur la pierre.

Pendant la première demi-heure, le pain ne doit être cuit qu'à feu doux, dans la seconde demi-heure uniquement à feu supérieur. Des températures beaucoup plus élevées sont indiquées dans de nombreux livres de recettes. Nous avons eu de bonnes expériences avec 190 ° C.

Conseils:

Avec de la farine blanche (farine à gâteau), vous pouvez également utiliser 2 cuillères à soupe d'huile d'olive (à base de plantes) et seulement env. 250 ml d'eau.

Vous pouvez également préparer la pâte la veille au soir. La pâte est ensuite placée dans un endroit frais, par exemple B. au réfrigérateur, conservée pendant environ 12 h. Le lendemain, le four doit être préchauffé et la pâte entre directement dans le four préchauffé. Il n'a PAS à repartir dans un endroit chaud. Cette méthode rend la pâte particulièrement fine.

La farine à pain peut désormais être achetée sous ce nom dans de nombreux magasins (bio). Il ne contient que de la farine de blé et de seigle, pas de levure sèche ni de sel (faites attention à la liste des ingrédients!).

PAIN FAIBLE EN CARBES

Portions: 1

INGRÉDIENTS

- 300 g de fromage blanc faible en gras
- Œuf (s) de 8 m.
- 100 g Amande (s) ou noisettes, moulues
- 100 g de graines de lin écrasées
- 5 cuillères à soupe de son de blé
- 2 cuillères à soupe de farine ou de farine de soja
- 1 paquet. levure chimique
- 1 cuillère à café de sel
- 2 cuillères à soupe de graines de tournesol
- Beurre, pour le moule

PRÉPARATION

Préchauffer le four à convection à 150 ° C et maintenir le feu pendant 15 minutes avant que la pâte n'entre dans le four.

Mélanger le fromage blanc, les œufs et la levure chimique dans un bol avec un batteur à main (fouet), puis ajouter les autres ingrédients et bien remuer. Verser dans le plat graissé (25-30 cm) et saupoudrer de graines de tournesol. Cuire au four à 150 ° C pendant au moins 90 minutes.

La pâte est assez liquide et le pain fini est très humide. Cela peut être changé avec plus de son.

Le pain fini doit être conservé au réfrigérateur dans un sac qui n'est pas hermétiquement fermé. Il gèle également bien.

Conseil de Chefkoch.de: La teneur en cadmium des graines de lin étant relativement élevée, le Centre fédéral de la nutrition recommande de ne pas consommer plus de 20 g de graines de lin par jour. La consommation quotidienne de pain doit être divisée en conséquence.

ROULEAUX DE MUESLI OU PAIN MUESLI COMME DE LA BOULANGERIE

Portions: 1

INGRÉDIENTS

- 300 grammes   Farine de blé, (grains entiers)
- 200 g de farine de blé (type 550)
- 10 g de sel
- 10 g de levure, fraîche
- 20 g de miel
- 350 g d'eau
- 200 grammes   Fruits secs
- 80 g de flocons d'avoine

- 50 grammes   des noisettes
- Farine pour la surface de travail
- Quelque chose d'eau pour le brossage

PRÉPARATION

Coupez grossièrement les fruits secs en petits morceaux. Tous les fruits conviennent, j'aime particulièrement les abricots, les prunes, les raisins secs et les pommes. Hacher les noix, les noisettes, les noix de cajou, les amandes, les pacanes, les noix sont mes préférés.

Faire une pâte lisse avec les ingrédients restants. Pétrir pendant au moins 5 minutes. Juste avant la fin du pétrissage, ajoutez les fruits et les noix. La pâte est assez fine et collante au début, mais lorsqu'elle est suffisamment pétrie, elle devient belle et élastique. Couvrir la pâte et laisser lever au chaud pendant 1 heure ou au réfrigérateur pendant 6 heures.

Déposer la pâte sur un plan de travail légèrement fariné et diviser en 2 parties pour les gros pains, 4 parties pour les petits pains, 12 parties pour les petits pains et laisser reposer 5 minutes. Formez maintenant de longs pains ou des petits pains. Mouiller avec un peu d'eau et rouler dans les flocons d'avoine. Laisser lever le pain pendant 1 heure, les petits pains pendant 3/4 d'heure.

Préchauffez le four à 250 ° C. Coupez les pains comme vous le souhaitez. Mettre au four, réduire la température à 220 ° C et bien cuire à la vapeur. Les grandes miches de pain prennent 25 minutes, les petites 15 minutes et les petits pains 10 à 12 minutes.

Vous n'avez pas vraiment besoin d'une tartinade pour cela, elles sont sucrées et copieuses avec une bouchée. Bien sûr, la confiture, le miel ou le beurre ont toujours bon goût.

Variantes: Vous pouvez bien sûr en faire un pain pur aux raisins secs ou un pain aux abricots. Les types de farine peuvent également être variés. Si vous n'aimez pas les grains entiers, essayez le 1050 ou juste 550. Au lieu de la farine d'avoine, les graines de pavot ou de tournesol ont également bon goût.

J'adore ce pain car il est excellent pour un début de journée sucré mais pas sucré et il est incroyablement polyvalent.

RECETTE DE PAIN OU DE BAGUETTE AMÉLIORÉE

Portions: 1

INGRÉDIENTS

- 500 g Farine, type 550
- 325 g Eau, 33 ° C tiède
- 21 g de levure, fraîche
- 12 g de sel
- 15 g de malt de cuisson

PRÉPARATION

la farine dans un bol à pétrir et faire un puits au milieu. Versez la levure, le sel et 5 cuillères à soupe d'eau tiède dans le puits et remuez soigneusement avec une cuillère à café. Couvrir le bol de pétrissage au four pendant environ 20 minutes.

Ajoutez maintenant le reste de l'eau et le malt de cuisson et pétrissez pendant au moins 5 minutes pour former une pâte mi-ferme. La pâte doit être entre 26 et 27 ° C. Couvrir à nouveau le bol de pétrissage au four et laisser lever la pâte pendant 30 minutes.

Après la période de repos, déposez la pâte sur un plan de travail fariné, pétrissez-la brièvement et repliez-la pour que le dioxyde de carbone puisse s'échapper.

Préchauffer le four à 210 ° C et, si possible, utiliser un bain-marie, par exemple B. dans la lèchefrite.

Parce que rouler ou battre la pâte sur le plan de travail fariné à une taille d'env. 35 x 63 cm. Fariner cette feuille de pâte finement et la diviser en gros morceaux de pâte. (Par exemple, 7 x 7 cm. Ensuite, il y a 10-15 rouleaux). Il est préférable de le découper avec un rouleau à pizza, une spatule ou un couteau. Placez les rouleaux sur une plaque à pâtisserie et couvrez avec un chiffon.

Une fois le four chauffé, coupez les rouleaux 2 à 3 fois et vaporisez-les d'eau. Placez le petit pain dans le four avec le bain de vapeur et vaporisez à nouveau avec le vaporisateur.

Laissez-le fonctionner pendant 2 minutes avec chaleur supérieure / inférieure, puis passez à l'air en circulation. Temps de cuisson env. 20 minutes.

PAIN À LA BIÈRE DE BLÉ SOURDOUGH

Portions: 1

INGRÉDIENTS

- 300 g de farine de blé entier
- 200 g de farine de blé type 1050
- 75 g de levain, fait maison, de la boulangerie ou du pack)
- 150 g d'eau
- 150 g de bière de blé
- 1 cuillère à soupe. sel
- 1 cuillère à soupe. du sucre

- 1 cuillère à soupe de mélange d'épices pour pain
- 1 cuillère à soupe de malt de cuisson
- ½ cube Levure

PRÉPARATION

Faire la première pré-pâte la veille, mélanger 150 g de farine de farine entière avec 150 g d'eau et le levain, couvrir et laisser reposer une nuit (8 h). Le lendemain matin, pétrissez le reste de la farine entière avec.

Pour la deuxième pré-pâte, mélangez les ingrédients restants ensemble jusqu'à ce qu'il n'y ait plus de grumeaux.

Laisser reposer les deux pâtes ensemble dans un bol.

Après environ 2 à 3 heures, pétrir les deux pâtes ensemble pendant environ 10 minutes. Si la pâte peut être séparée en une fine membrane sans se déchirer, vous avez terminé le pétrissage.

Laisser reposer la pâte jusqu'à ce qu'elle ait augmenté pour doubler son volume.

Ensuite, placez la pâte sur un plan de travail non fariné ou légèrement fariné, pétrissez l'air et façonnez-le en boule, puis placez-le dans un panier de fermentation fariné. Préchauffez le four à 250 ° C haut / bas, chauffant 2 plaques à pâtisserie en même temps.

Lorsque le pain a levé pendant environ une heure et est devenu beaucoup plus gros, retournez-le sur l'une des plaques de cuisson chaudes et coupez-le en croix au sommet.

Après la mise à zéro dans le four, versez de l'eau chaude sur la plaque chaude inférieure et fermez immédiatement le four. Attention - risque de brûlure!

À intervalles de 10 minutes, réduire la température du four par étapes de 20 ° à 190 ° C et cuire au four pendant environ 50 minutes.

Enfin, placez le pain sur une grille pendant deux heures pour qu'il refroidisse.

ROULEAUX DE PAIN, PARFAITS COMME DE LA BOULANGERIE

Portions: 1

INGRÉDIENTS

- 500 g de farine
- 300 ml Eau tiède (environ 45 °)
- 12 g de sel
- 42 g de levure

PRÉPARATION

Pétrir tous les ingrédients pour obtenir une pâte lisse et couvrir et laisser lever pendant env. 60 minutes.

Pétrir à nouveau à la main et former 10 rouleaux d'env. 80 g chacun et broyer en rond. Déposer sur une plaque à pâtisserie tapissée de papier sulfurisé et couvrir d'un chiffon humide. Laisser lever environ 20 minutes puis les couper.

Préchauffer le four à 230 ° C ventilé. Étant donné que les rouleaux ont besoin de vapeur pour cuire, placez une tasse d'eau dans un récipient allant au four au fond du four.

Cuire les petits pains pendant environ 12 à 15 minutes. Ils s'ouvrent à nouveau et deviennent beaux et dodus. Quand ils sont de la bonne couleur, sortez-les et placez-les sur une grille recouverte d'un chiffon pour les refroidir.

SIMIT

Portions: 1

Ingrédients

- 500 grammes   Farine de blé type 405
- ½ cube Levure fraîche
- 150 ml Eau, tiède
- 100 ml Lait, tiède
- 100 ml Huile de tournesol
- 2 cuillères à soupe   du sucre
- 1 cuillère à café sel
- 3 cuillères à soupe   Sirop de raisin (pekmez), ou
  sirop de betterave à sucre
- 100 ml l'eau

- 150 grammes   sésame

PRÉPARATION

Tout d'abord, mélangez l'huile, l'eau, le lait, le sucre, le sel et la levure jusqu'à ce que la levure, le sel et le sucre se soient dissous. Ajoutez ensuite progressivement la farine jusqu'à ce que le jour soit doux mais pas collant.

Chauffez ensuite le four à 50 ° C, puis éteignez-le à nouveau, couvrez la pâte et laissez-la lever pendant 30 minutes.

Former un serpent avec la pâte et diviser en 10 morceaux d'env. 90 g chacun. Ensuite, laissez lever à nouveau pendant environ 15 minutes. N'oubliez pas de couvrir.

Pendant ce temps, faites dorer les graines de sésame dans une poêle sans matière grasse et réservez. Attention, ça apparaît comme du pop-corn, mais ça va. Mélangez le sirop avec l'eau dans une assiette creuse.

Préchauffer le four à 190 ° C haut / bas.

Façonnez les pâtons en serpents très fins et attachez-les ensemble. Pressez les extrémités du cordon ensemble et baignez d'abord le simit dans le sirop puis roulez-le dans les graines de sésame. Cuire au four pendant environ 20 minutes, puis envelopper dans un torchon pour refroidir afin qu'ils ne deviennent pas durs.

Ils ont bon goût avec des garnitures sucrées et salées et peuvent également être bien congelés.

PAIN À LA BETTERAVE DE MA CUISINE D'ESSAI

Portions: 1

INGRÉDIENTS

- 350 g de betterave
- 400 g de farine d'épeautre type 1050, éventuellement un peu plus
- 250 g de farine de blé, moulue vous-même à partir de grains entiers
- 1 sac / n Levure sèche, bio, 9 g
- 1 cuillère à soupe de sucre, extra fin
- 1 cuillère à café de sel

- 5 cuillères à soupe   Graines de tournesol
- 150 ml crème sucrée

PRÉPARATION

Épluchez et lavez la betterave, coupez-la en petits morceaux et laissez cuire environ 15 minutes sans ajouter de sel. Puis réduire en purée sans le jus et laisser refroidir un peu.

Pendant ce temps, pesez la farine dans un bol, broyez le blé et ajoutez-le dans le bol et ajoutez la levure sèche, le sucre, le sel et les graines de tournesol. Mélangez bien les ingrédients secs. Laissez la crème tiède et ajoutez-la au mélange de farine. Maintenant, remuez la betterave en purée dans la pâte ou laissez-la remuer, je vais le faire avec le robot culinaire. Si la pâte n'est pas assez ferme, ajoutez simplement un peu de farine jusqu'à ce que la pâte se sépare du bol.

Couvrir la pâte et laisser lever environ 60 à 80 minutes. Pétrir à nouveau brièvement et mettre dans un moule préparé. J'ai pris une casserole en céramique ici et l'ai tapissée de papier sulfurisé. Couper dans le dessus du pain et laisser lever encore 30 minutes.

Préchauffez le four à 200 degrés. Je mets un bol d'eau froide dans le four en bas.

Cuire le pain à 170-180 degrés pendant environ 1 heure. Vérifiez le pain avec le test de cliquetis et s'il semble creux, retournez-le et laissez-le refroidir complètement.

Remarque: le goût de la betterave disparaît complètement.

PAIN RUSSE - YOGOURT À LA VANILLE - TARTE

il

Portions: 1

INGRÉDIENTS

- 300 grammes Biscuit (pain russe)
- 150 grammes Beurre doux
- 500 grammes Yaourt (vanille)
- 400 ml crème
- 150 ml lait
- 50 g de sucre
- 1 paquet. sucre vanillé
- 8 feuilles Gélatine, blanche

- 10 g de cacao en poudre

PRÉPARATION

Râper grossièrement ou hacher finement le pain russe, mélanger avec le beurre mou et pétrir. Couvrir un plat à gâteau de papier sulfurisé, placer le rondelle à gâteau de 26 cm à l'intérieur avec de l'huile, verser 2/3 du mélange, appuyer dessus et laisser prendre. Mettez le reste sur un côté.

Faites tremper la gélatine dans l'eau. Fouettez la crème. Faites chauffer le lait, le sucre et le sucre vanillé dans une casserole. Dissolvez-y la gélatine bien pressée, retirez-la du feu et laissez-la refroidir. Juste avant la prise, incorporer vigoureusement le yaourt à la vanille et incorporer la crème fouettée.

Divisez la masse, incorporez la poudre de cacao dans une partie de la crème.

Étalez alternativement la crème claire et foncée avec une cuillère à soupe sur la base et lissez sur la surface. Saupoudrer le gâteau avec les miettes restantes et laisser refroidir au réfrigérateur, de préférence toute la nuit. Retirez ensuite l'anneau à gâteau et le papier sulfurisé. Refroidissez le gâteau jusqu'à ce qu'il soit prêt à être mangé.

KOMBUCHA SOURDOUGH ET PAIN

Portions: 1

INGRÉDIENTS

Pour le levain:

- 150 g de farine de blé entier, grossière
- 50 g de farine de seigle
- 30 grammes   Du miel, plus liquide
- 300 ml Kombucha, plus actif

Pour la pâte:

- 430 grammes   Farine de blé type 550

- 220 ml Eau (chaude
- 9 g Sel de mer, sel fin ou normal

PRÉPARATION

Mélangez bien les ingrédients pour le levain la veille au soir, puis couvrez d'un torchon et laissez reposer dans un endroit chaud jusqu'au lendemain.

Le jour de la cuisson du pain, mélanger le levain de kombucha avec tous les ingrédients du pain dans un grand bol. Couvrez ensuite le bol et laissez lever dans un endroit chaud.

Au bout d'une heure, tirez et pliez la pâte - ne la pétrissez pas! Pour ce faire, pliez d'abord un côté en deux, puis pliez le côté opposé sur la première moitié, puis repliez les deux autres côtés sur les premiers côtés. Répétez cette opération trois fois de plus - une fois toutes les heures.

Ensuite, façonnez un pain avec la pâte et laissez-le lever pendant encore 2 à 4 heures dans un endroit chaud.

Préchauffer le four au réglage le plus élevé (240 °C, chaleur supérieure / inférieure) une heure avant la cuisson. Faites cuire le pain pendant 15 minutes, puis baissez le four à 190 °C et faites cuire le pain pendant encore 30 à 35 minutes, ou jusqu'à ce qu'il sonne creux lorsque vous frappez.

TASSE DE PAIN

Portions: 4

INGRÉDIENTS

- 2 tasses / n farine d'épeautre, 812
- 1 tasse Farine de seigle, 1150
- 1 ½ tasse / n d'eau
- 1 ½ cuillère à café   sel
- 8 g de levure fraîche OU:
- 1 cuillère à café de levure sèche nivelée
- 2 cuillères à soupe   Graines de tournesol
- 2 cuillères à soupe   graine de lin
- 2 cuillères à soupe   gruau
- 75 ml   l'eau

PRÉPARATION

Mettez la farine et le sel dans un bol plus grand, dissolvez la levure avec l'eau "froide" et mélangez avec la farine avec une cuillère en bois jusqu'à ce qu'il n'y ait plus de poches de farine. Je mets ensuite la pâte dans une pièce fraîche, dans le couloir, au sous-sol ou au réfrigérateur pendant 20 heures. Je le fais habituellement la veille, puis je prends aussi 2 cuillères à soupe de graines de tournesol, 2 cuillères à soupe de graines de lin et 2 cuillères à soupe de flocons d'avoine et verse environ 75 ml d'eau chaude dessus, remets le couvercle et après le temps de marche, ajoute la pâte et mélanger brièvement.

Je plie ensuite la pâte avec une spatule, je fais le tout deux fois. Laisser reposer la pâte 30 minutes après chaque pli.

Préchauffer le four à 260 ° C avec une casserole en fonte avec couvercle, puis mettre la pâte dans la casserole et saupoudrer de grains et presser fermement, mettre le couvercle et au four pendant 35 minutes, puis baisser le couvercle, tourner le température jusqu'à 190 ° C et cuire encore 20 minutes.

J'utilise toujours de très grandes tasses d'une contenance d'environ 300 ml.

Vous pouvez utiliser la farine à votre guise, selon votre goût. Les grains peuvent également être omis

ROULEAUX, ORIGINAUX
COMME DE LA BOULANGERIE

Portions: 1

INGRÉDIENTS

- 315 g de farine de blé (type 550 ou 405)
- 35 g de farine de blé (type 1050)
- 15 g de malt de cuisson
- 10 g de sel
- 185 ml l'eau
- 20 g de levure
- Peut-être. sésame
- Peut-être. Coquelicot

PRÉPARATION

Depuis combien de temps ai-je essayé et essayé de pouvoir enfin cuire des petits pains frais et réels à la maison. Au final, j'ai trouvé d'innombrables recettes qui ressemblent à ça, mais qui ne suggèrent même pas de relation avec un vrai petit pain.

Au final, deux boulangers ont aidé: l'un avec la recette, l'autre avec la cuisson du malt, ce qui est très difficile à trouver en magasin (sauf sur Internet).

La recette de la pâte est très simple et peut être réalisée très facilement à l'aide de la machine à pain. Il est préférable de mettre les ingrédients dans la machine à pain dans l'ordre suivant le soir avant d'aller au lit (fonction pâte):

D'abord l'eau, puis la levure (peut aussi être de la levure sèche - cela ne fait aucune différence), puis le 550 ou 405 (ici aussi: 405 est absolument suffisant si vous n'avez pas de 550 sous la main), puis le 1050 Ensuite, le malt et le sel cuits au four suivent.

Sans BBA, le tout est transformé en une pâte homogène - jusqu'à ce qu'il se sépare du bol. Ensuite, la pâte a besoin d'environ 1 à 1 1/2 heures pour se reposer. Il est préférable de le recouvrir dans un endroit chaud (pâte à levure).

Ensuite, vous pouvez déposer la pâte sur un plan de travail non fariné (je le fais toujours sur la plaque vitrocéramique) et des portions de 80 g chacune. Les boules de pâte doivent maintenant être arrondies et, si nécessaire, broyées ou façonnées en petits rouleaux afin de les boucler en "Kaiser rolls" (une bonne alternative à la presse à pain).

Tenez brièvement la pâte complètement sous le robinet et placez-la sur du papier sulfurisé. Vous pouvez maintenant les couper encore 5 mm de profondeur, si vous le souhaitez, et les saupoudrer de graines de sésame ou de pavot.

Ensuite, les pâtons doivent lever à couvert pendant encore 60 minutes. Après ce temps, vaporisez vigoureusement le four préchauffé (chaleur supérieure / inférieure à 220 ° C) et arrosez à nouveau les rouleaux directement avec le pulvérisateur de fleurs. Ensuite, mettez-les au milieu du four et restez-y pendant 18 minutes. Ensuite, retirez-le - laissez refroidir sur une grille et dégustez.

PAIN DE PÂQUES SELON UNE RECETTE TRADITIONNELLE

Portions: 1

INGRÉDIENTS

- 1 kg de farine de blé
- 2 pièces Levure sèche
- 50 g de sucre
- 170 g de beurre doux, température ambiante
- 6 oeuf (s)
- ¼ litre Lait, tiède
- 350 grammes   Raisins secs, trempés
- De l'eau pour le trempage
- 5 g de cannelle en poudre
- 1 pincée (s)   Noix de muscade

- Oeuf (s) à brosser
- Farine pour la surface de travail
- Peut-être. Sucre de grêle ou éclats d'amande

PRÉPARATION

Mettez la farine, le sucre, les œufs, le beurre, les raisins secs et les épices dans un bol. Incorporer brièvement la levure sèche dans le lait tiède avec une cuillère, ajouter le lait aux ingrédients restants et remuer vigoureusement avec un batteur à main (crochet pétrisseur) jusqu'à ce que la pâte se détache du bord du bol.

Placez la pâte sur un plan de travail fariné et pétrissez-la abondamment et vigoureusement. Ensuite, placez-le dans un bol préchauffé, couvrez d'un chiffon humide et laissez lever dans un endroit chaud jusqu'à ce qu'il ait doublé de volume (généralement je le laisse lever pendant une heure, mais moins est également possible).

Pétrissez ensuite à nouveau vigoureusement, formez deux pains et placez chacun sur un plateau. Couvrir d'un linge humide et laisser lever encore 1/2 heure.

Préchauffer le four à 175 ° C (convection). Après la levée, badigeonnez les pains d'œuf battu et coupez-les en croix, puis placez-les au four. Si vous le souhaitez, vous pouvez au préalable saupoudrer de sucre ou de lamelles d'amande. Faites cuire le pain pendant 60 minutes.

Vous pouvez également mettre les deux pains sur un plateau, mais ils s'ouvrent un peu et souvent "poussent" ensemble au milieu! Si cela ne vous dérange pas, vous pouvez vous faire gagner beaucoup de temps. Je coupe généralement les ingrédients en deux et je ne fais qu'un seul pain de Pâques. C'est généralement suffisant pour une famille de quatre personnes.

PAIN PADERBORN COUNTRY, VERSION LÉGÈRE DE KETEX

Portions: 1

INGRÉDIENTS

- 150 g de farine de seigle, 1150
- 150 g d'eau
- 30 g de levure
- 135 g de farine de seigle, 1150
- 150 g de farine de blé (grains entiers)
- 160 g de farine de blé, 1050
- 355 g d'eau
- 12 g de sel
- 10 g de levure, (qui aime)

PRÉPARATION

Faites un levain à partir des 3 premiers ingrédients:

150 g de farine de seigle 1150, 150 g d'eau, 30 g d'ASG = Anstellgut.

Mélangez le tout et laissez mûrir pendant 16 heures à température ambiante.

Retirez-en 30 g et rendez-le à l'objet à placer.

Pétrir tous les ingrédients et le levain préparé ensemble pendant 7 minutes. Reposez-vous ensuite pendant 20 minutes.

Mettez-le ensuite dans un moule à pain de 1 kg et laissez cuire.

Avec de la levure pendant environ 60 minutes. Sans levure env. 120 minutes.

Cuire au four pendant 15 minutes à 240 ° jusqu'à ce que le brunissement souhaité soit obtenu, puis, en descendant à 180 °, cuire au four pendant 45 minutes.

Le pain a TA 180 et est un pain mixte 50/50.

MAUVAIS PAIN

Portions: 1

INGRÉDIENTS

- 160 grammes   beurre
- 2 oeufs)
- 280 g de chocolat, râpé
- 240 g amande (s), moulue
- 250 g de farine
- 4 jaunes d'oeuf
- 10 cuillères à soupe   sucre en poudre
- Pistaches, pour décorer
-

PRÉPARATION

Mettez le beurre, les œufs et le chocolat dans un bol à mélanger et battez jusqu'à ce qu'ils soient mousseux. Incorporez ensuite les amandes et la farine dans la pâte en alternance et en petites portions.

Façonnez la pâte en un rouleau et laissez refroidir pendant environ 30 minutes. Coupez ensuite le rouleau à pâtisserie en tranches d'environ 1 cm de large, placez-les sur une plaque à pâtisserie tapissée de papier sulfurisé et faites cuire au four à 180 ° C pendant environ 10 minutes.

Mélangez les jaunes d'œufs avec le sucre en poudre, puis ajoutez les pistaches hachées. Étalez le mélange sur les mauvais pains et laissez sécher au four.

PAIN NAAN

Portions:

INGRÉDIENTS

- 1 cuillère à café de sucre
- 20 grammes   Levure, fraîche
- 150 ml Eau (chaude
- 200 grammes   Farine
- 1 cuillère à soupe   Ghee
- 1 cuillère à café de sel
- 50 g de beurre fondu
- 1 cuillère à café de cumin noir
- Farine pour la surface de travail
- Graisse pour la glissière

PRÉPARATION

Mettez le sucre et la levure dans un petit bol et mélangez avec l'eau tiède. Laisser ce mélange monter pendant environ 10 minutes jusqu'à ce que des bulles se forment.

Mettez la farine dans un grand bol et faites un puits au centre, ajoutez le ghee et le sel et versez la levure. Mélanger avec une cuillère en bois pour former une pâte lisse. Pétrir la pâte sur un plan de travail fariné pendant environ 6 minutes. Remettez la pâte à pain dans le bol et recouvrez-la pendant 1 1/2 heure.

Pétrir à nouveau la pâte pendant 2 minutes, puis la diviser en 6 à 8 portions égales. Façonner chaque portion en boule et aplatir en un gâteau rond et plat de 1 cm d'épaisseur et d'un diamètre d'environ 12 cm.

Préchauffez le gril au réglage le plus élevé. Placer les petits pains sur une feuille d'aluminium graissée et cuire au four de 7 à 10 minutes à chaque fois - en les retournant deux fois. Badigeonner de beurre et saupoudrer de cumin noir. Servir chaud immédiatement ou garder au chaud enveloppé dans du papier d'aluminium.

CHENÄRAN AU GINGEMBRE

Portions: 1

INGRÉDIENTS

- 300 grammes   Sarrasin, entier +
- 100g   Amarante, entière +
- 200 grammes   Grains de maïs, (pas de maïs soufflé) +
- 100g   Riz brun, (grain moyen) +
- 2 cuillères à café   Graines de carvi, entières +
- 2 cuillères à café   Coriandre, moudre entière
- 1 ½ cuillère à café   sel
- ½ cuillère à café   Sucre de canne
- 2 sachets / n de levure chimique (levure tartare)
- 3 cuillères à soupe   Graines de tournesol

- 3 cuillères à soupe   Sésame, non pelé
- 3 cuillères à soupe   Graines de lin, entières
- 40 grammes   Gingembre, pelé
- 250 ml kéfir
- Eau minérale gazeuse
- Graines de tournesol, OU
- sésame
- 1 tasse / n d'eau

PRÉPARATION

Broyez le sarrasin à la coriandre ensemble. Mélangez tous les ingrédients secs à +. Remplissez d'eau minérale gazeuse + kéfir à 700 g, peut-être plus, ajoutez-le, cela doit être comme une pâte, plutôt un peu plus liquide, puis la pâte lève mieux. La quantité de liquide nécessaire dépend en grande partie de l'âge du grain. J'ai remarqué que le maïs fraîchement moulu absorbe beaucoup. (C'est pourquoi je n'utilise pas de maïs comme panure)

Verser dans un moule à gâteau rectangulaire de 30 cm recouvert de papier sulfurisé (également recouvert de moules à pâtisserie). Placez les graines de tournesol ou de sésame sur le dessus de la pâte, appuyez légèrement. Cuire au four froid avec une tasse d'eau à 160 ° C pendant 70 minutes. Échantillon d'aiguille.

Cuire au four plus longtemps ne fait rien sauf durcir la croûte.

Préchauffer à feu supérieur et inférieur à env. 180 ° -190 ° C + cuire au four env. 45 à 60 minutes. Laisser refroidir le four sur une grille, puis retirer le papier sulfurisé; si le papier sulfurisé est retiré au préalable, la croûte sera généralement dure.

Le pain s'ouvre en haut, même si je coche le pain, le sans gluten n'est pas si simple, car la pâte est très liquide. Mais cela n'a pas d'importance en termes de goût.

CHIPS DE PAIN

Portions: 1

INGRÉDIENTS

- 200 grammes   Pain (s) - restes, rassis
- 125 grammes   Beurre aux herbes
- 75 grammes   beurre
- 2 cuillères à café   Mélange d'épices, (pain au beurre, sel, recette de la base de données)

PRÉPARATION

Coupez le pain en fines tranches.

Faites fondre le beurre et le beurre aux herbes et ajoutez le pain et le beurre salé (la recette peut être trouvée ici: http://www.chefkoch.de/rezepte/1706241279393160/Butterbrots alz.html).

Mettez les tranches de pain dans le beurre et attendez qu'elles soient trempées.

Étaler sur une plaque à pâtisserie tapissée de papier sulfurisé et cuire à 180 ° pendant env. 12-15 minutes à l'air chaud jusqu'à ce qu'il ait une belle couleur brune.

Laissez refroidir et dégustez.

PAIN ULM

Portions: 1

INGRÉDIENTS

- 250 g   Miel (miel synthétique)
- 250 g   margarine
- 100g   crème sucrée
- 180 grammes   du sucre
- 2 oeufs)
- 1 cuillère à café de rhum
- 1 paquet.   épices pour pain d'épice
- 1 cuillère à soupe, entassée   cacao
- 50 grammes   Écorces de citron
- 50 grammes   épluchure d'orange

- 100g   Noix, mélangées
- 440 grammes   Farine
- 1 point levure chimique

Également:

- Sucre glace pour le glaçage
- De l'eau pour le glaçage

PRÉPARATION

Battre la margarine et le sucre jusqu'à ce qu'ils soient mousseux. Si nécessaire, chauffez un peu le miel artificiel puis ajoutez le reste des ingrédients.

Étalez la pâte sur une plaque à pâtisserie graissée et faites cuire au four préchauffé à 160 degrés Celsius pendant environ 25 minutes.

Laisser refroidir un peu la feuille de pâte puis décorer avec un glaçage. Couper en petits morceaux d'env. 5 x 5 cm

UNE RECETTE RAPIDE ET FACILE POUR LES BAGUETTES

il

Portions: 1

INGRÉDIENTS

- 500 grammes   farine de blé
- 2 dés   Levure
- 300 grammes   l'eau
- 30 grammes   huile d'olive
- 1 cuillère à café de sel
- 1 pincée (s) de sucre

PRÉPARATION

Façonner la pâte en un rouleau sur une surface farinée. Ensuite, divisez en 3 morceaux égaux et façonnez-les en baguettes et placez-les dans les creux d'un plateau à baguettes.

Mettez le plateau dans le four FROID et faites cuire le pain à 200 degrés de chaleur haut / bas pendant environ 35 minutes. La pâte monte au four.

CROISSANT - RECETTE

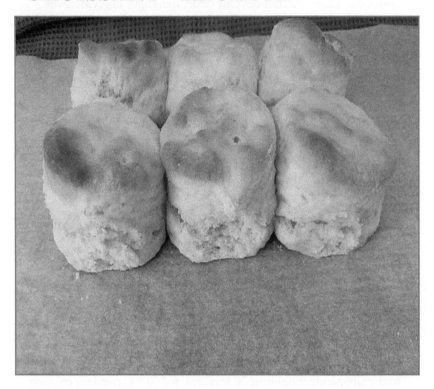

Portions: 1

INGRÉDIENTS

- 250 g de beurre
- 50 g de sucre
- 500 g de farine
- 1 pincée (s) de sel
- 42 g de levure
- 2 oeufs)
- 0,2 litre de lait (environ, selon la farine)

PRÉPARATION

La veille, faites une pâte à levure à partir des ingrédients listés ci-dessus: Laisser le lait devenir tiède, mélanger la levure avec un peu de sucre et du lait, laisser reposer un moment, puis mélanger avec tous les ingrédients sauf le beurre. Couvrir et laisser reposer la pâte au réfrigérateur pendant la nuit.

Sortez la pâte du réfrigérateur et étalez-la en carré sur une surface de travail. Façonner le beurre entre deux films adhésifs à la moitié de la taille du carré, puis saupoudrer de farine et déposer sur la pâte à levure. La farine est importante car le beurre ne doit pas se mélanger à la pâte, sinon la pâte feuilletée ne peut pas être faite. Il vaut donc mieux avoir un peu trop que trop peu de farine entre le beurre et la pâte levée!

Placez la pâte sur le beurre comme une enveloppe, de sorte qu'un triangle se trouve sur le beurre de chaque côté et le recouvre. Celui-ci est maintenant déployé dans un rectangle, ce rectangle est plié l'un sur l'autre trois fois puis déplié à nouveau. Vous devriez répéter cela 2 à 3 fois. Ensuite, des triangles sont coupés (environ 12) et ceux-ci sont façonnés en croissants du côté large.

Préchauffez le four à 220 à 250 ° C, c'est là que les goûts diffèrent: jusqu'à 220 ° C, les croissants (environ 6 par plaque) sont cuits pendant environ 20 minutes, à 250 ° C pendant environ 12 minutes. C'est un bon petit déjeuner!

La recette vient d'un ami, j'espère que vous l'apprécierez.

SCONES

Portions: 1

INGRÉDIENTS

- 430 grammes   Farine
- 2 cuillères à soupe   levure chimique
- Sel TL
- 150 ml crème
- 150 ml Mascarpone
- 300 ml l'eau

PRÉPARATION

Mélangez la farine avec la levure chimique et le sel. Tamisez au moins trois fois sur un plan de travail et appuyez sur un renfoncement au milieu. Mélangez la crème et le mascarpone et ajoutez à la farine avec l'eau. Mélangez tous les ingrédients avec un couteau juste assez longtemps pour que la pâte adhère, puis travaillez sur le plan de travail fariné avec vos mains. Pour ce faire, pliez la pâte encore et encore, mais pressez-la uniquement avec vos doigts et non avec toute la paume de votre main.

Appuyez sur la pâte d'environ 3,5 cm d'épaisseur, juste du bout des doigts. Fariner un emporte-pièce rond ou un verre d'environ 6 cm de diamètre et découper des cercles. Placez les cercles côte à côte sur une plaque à pâtisserie tapissée de papier sulfurisé afin qu'ils se touchent. Pliez plusieurs fois la pâte restante et découpez des cercles jusqu'à épuisement de la pâte.

Badigeonner les scones de lait et cuire au four préchauffé sur la grille du milieu à 210 ° C pendant 15 minutes. Piquez un bâton en un rouleau de taille moyenne, si la pâte y adhère encore lorsque vous la retirez, faites cuire un peu plus longtemps.

Placez un torchon sur une grille, placez les scones sur le dessus et couvrez avec l'autre moitié de la serviette.

Les scones ont meilleur goût lorsqu'ils sont encore chauds et avec de la confiture de fraises et de la crème.

PAIN DE SEIGLE MIXTE

Portions: 1

INGRÉDIENTS

- 450 grammes   Farine de seigle (par exemple type 997)
- 300 grammes   Farine de blé (par exemple type 550 ou 812)
- 23 grammes   Levain (levain de seigle à grains entiers)
- 10 grammes   Lécithine (lécithine de tournesol pure)
- 7 ½ g   Granules de gluten de blé (contient ~ 0,3 g d'acide ascorbique)
- 1 paquet.   Levure sèche (7 g)
- 17 grammes   Sel (le sel iodé est idéal)
- 1 cuillère à café, niveléePoudre de carvi, facultatif

- 3 cuillères à soupe, entassées   Graines de tournesol, pelées, facultatif
- 540 ml Eau (10 ml de plus lors de l'utilisation de graines de tournesol)

PRÉPARATION

Mélangez tous les ingrédients sauf l'eau. Ajouter l'eau tiède et pétrir le tout pendant environ 4 minutes avec le batteur à main. Laisser reposer la pâte pendant 30 minutes, recouverte d'un chiffon.

Lorsque vous utilisez une machine à pain, mettez la pâte dans la machine à pâtisserie et réglez un programme avec un temps de cuisson total d'environ 2 heures et demie.

Si vous souhaitez cuire au four, pétrissez à nouveau brièvement la pâte et formez une ou deux miches de pain. Laisser lever au calme, à température ambiante environ 50 minutes, à 28 ° C 35 minutes suffisent.

Cuire au four à 250 ° C pendant environ 10 minutes, puis terminer la cuisson à 190 ° C pendant encore 55 minutes.

BOHEMIAN DALKEN FAIT À PARTIR DE LA RECETTE DE MAMAN

Portions: 4

INGRÉDIENTS

- 500 grammes   Farine, type 550
- Des œufs)
- 50 grammes   beurre
- ½ cube Levure
- 200 ml Du lait, peut-être un peu plus
- ½ cuillère à café   sel
- Farine, pour transformation

- Beurre, fondu, à brosser

PRÉPARATION

Dissoudre la levure dans un peu de lait tiède avec une pincée de sucre. Mettez la farine dans un bol, faites un puits et ajoutez la levure, saupoudrez d'un peu de farine et laissez lever environ 15 minutes.

Faites chauffer le reste du lait, faites-y fondre le beurre et ajoutez l'œuf et ½ cuillère à café de sel à la farine. Pétrir le tout vigoureusement pour former une pâte lisse. Laisser lever la pâte pendant env. 45 minutes.

Saupoudrez vos mains de farine et formez des galettes de la taille d'une tasse avec la pâte. Placez-les sur une plaque à pâtisserie recouverte de papier sulfurisé - laissez beaucoup d'espace entre les deux, car ils vont encore lever un peu.

Laisser lever encore 20-30 minutes, badigeonner de beurre fondu et cuire au four préchauffé à 180 ° C pendant environ 20 minutes.

Sortez et badigeonnez à nouveau de beurre fondu.

Les Dalken sont un incontournable de notre famille avec du bœuf à l'aneth. Enfants, nous les aimions avec du beurre et du miel ou de la confiture.

RECETTE DE ROULEAU DE PAIN

Portions: 25

INGRÉDIENTS

- 600 ml l'eau
- 1 kg   farine de blé
- 1 cube Levure
- 2 cuillères à soupe   huile d'olive
- 2 cuillères à soupe   sel
- 1 cuillère à café de sucre

PRÉPARATION

Émiettez les cubes de levure et dissolvez-les dans l'eau tiède avec le sucre, l'huile d'olive et le sel dans le bol de mixage de l'appareil de cuisine, si disponible.

Ajoutez la farine et pétrissez le tout pendant 10 bonnes minutes avec le robot culinaire jusqu'à ce qu'une pâte se forme qui se détache doucement du bord du bol, ajoutez de l'eau ou de la farine si nécessaire.

Pour l'aspect et le goût, des céréales (ex: millet, graines de pavot bleu, graines de sésame, graines de citrouille, graines de tournesol, graines de lin ou raisins secs) peuvent être ajoutées aux rouleaux (trempez-les au préalable dans l'eau pour une meilleure tenue).

Vous pouvez également mettre du fromage sur le dessus ou cuire du bacon ainsi que du salami / jambon en cubes ou des raisins secs, selon votre goût.

Façonner de petites boules en rouleaux, presser à plat sur la plaque de cuisson recouverte de papier sulfurisé. Entailler la surface en diagonale avec un couteau bien aiguisé et laisser lever sous une serviette pendant 10 à 15 minutes.

Cuire ensuite au four à 200-180 ° C pendant env. 15-20 minutes jusqu'à coloration.

Conseils:

Laissez-le plus léger pour une cuisson ultérieure.

Mettez de l'eau sur une deuxième plaque à pâtisserie (à moins que votre four ne puisse supporter des éclats de vapeur), cela rendra la croûte du pain plus croustillante.

PAIN AU MAÏS

Portions: 1

INGRÉDIENTS

- 375 ml l'eau
- 1 ½ cuillère à café   sel
- 1 cuillère à café du sucre
- 1 cuillère à soupe   huile d'olive
- 300 grammes   Farine (type 405)
- 300 grammes   Farine de maïs, fine
- 1 sac   Levure sèche

PRÉPARATION

Mélangez bien les deux types de farine, mais ne versez pas encore dans le récipient. Versez tous les ingrédients dans le récipient dans l'ordre indiqué - les ingrédients humides d'abord, puis les ingrédients secs. En plus de la levure.

Programme à choisir: Pain blanc, niveau II (750 g), niveau de brunissement moyen.

Le pain est très bon avec du fromage et aussi bon avec de la confiture!

PAIN DÉLICIEUX, ROULEAUX, BAGUETTES

Portions: 6

INGRÉDIENTS

- 50 g Farine de seigle entière type 1150
- 400 grammes   Farine entière type 1050
- 1 cuillère à café de sel
- 100g   Levain de seigle, recette de la base de données
- 260 ml l'eau
- 50 g de graines ou de flocons pour la garniture

PRÉPARATION

Cette recette fonctionne essentiellement avec toutes les farines, mais la farine de seigle doit toujours être disponible. Tous les ingrédients doivent être à peu près à la même température (température ambiante). Vous pouvez l'affiner en ajoutant quelque chose à la farine: graines, flocons, oignons, bacon ou épices. La quantité idéale de sel est de 1,8 à un maximum de 2 g pour 100 g de farine. Si vous oubliez le sel, vous ne l'oublierez pas pour une vie.

Mélangez d'abord 400 g du type de farine souhaité avec les 50 g de farine de seigle complet et le sel. Selon la disponibilité, différentes farines peuvent également être pesées ensemble dans la quantité souhaitée. (par exemple 50 g de farine de seigle complet, 200 g de farine d'épeautre complète, 200 g

Farine de blé entier) Ensuite, j'ajoute toujours l'eau au levain qui a été retiré et je remue vigoureusement. J'ajoute ensuite le liquide résultant au mélange de farine.

Pétrissez très bien la masse en la séparant et en la fouettant (pendant environ 30 minutes). Ou pétrir dans le robot culinaire avec le crochet pétrisseur à une vitesse qui n'est pas trop élevée (niveau 2 sur 7 niveaux) jusqu'à ce que la pâte ait absorbé toute la farine. Ensuite, sortez la pâte du récipient et pétrissez plusieurs fois en la pressant à plat puis en martelant les coins vers le centre. Vous vous rendez compte que cela devient soudain de plus en plus difficile. (Ne retournez pas la pâte). Saupoudrez de farine sur le dessus et placez-les dans un bol avec ce côté vers le bas, couvrez d'un linge et laissez reposer quelques heures.

Après environ 4 heures, retirez la pâte, aplatissez-la 3 à 4 fois et repliez-la (comme la dernière fois). Couvrir et laisser reposer encore 30 minutes.

Répartissez ensuite la pâte dans les pains désirés. Presser à nouveau les différentes quantités de pâte à plat et rouler, couvrir et laisser reposer encore 30 minutes.

Ensuite, aplatissez à nouveau les portions individuelles et roulez-les "en travers" dans la dernière direction, puis terminez de façonner les pains en baguettes, petits pains, mini pains, à votre guise. Si vous le souhaitez, appuyez brièvement sur le dessus dans la graine de cuisson et disposez le tout sur la plaque à pâtisserie (sur du papier sulfurisé ou similaire), couvrez et laissez reposer encore 30 minutes. Ici, vous constaterez que les pains sont devenus vraiment élastiques

Pendant ce temps, préchauffez le four à env. 220 ° C (température ambiante du four).

Badigeonner les pains avec de l'eau ou un spray, les couper en eux (baguettes sur toute la longueur sur le côté) et mettre immédiatement au four, grille du milieu, chaleur supérieure et inférieure, et cuire au four pendant 20 minutes. (La circulation de l'air est également possible, mais choisissez une température plus basse. Ne soyez pas dégoûté de l'eau, les boulangers cuisinent même avec de la vapeur)

Après 15 à 20 minutes, brossez ou vaporisez à nouveau les pains avec de l'eau. Baissez la température de 20 ° C et faites cuire encore 10 minutes. Si vous «cognez» sur le dessous, cela semble creux et la croûte crépite lorsque vous appuyez et relâchez.

Ensuite, retirez-le et laissez-le refroidir un peu.

Un conseil pour les restes: congelez le pain entier. Plus tard, mettre congelé dans le four préchauffé et cuire au four.

PAIN BERLIN

Portions: 1

INGRÉDIENTS

- 500 grammes   Farine
- 500 grammes   du sucre
- 250 g   beurre
- 2 oeufs)
- 2 piècesSucre vanillé
- 1 paquet. Levure chimique
- 70 g de cacao en poudre
- 200 grammes   Noisettes, hachées grossièrement
- 2 cuillères à soupe   lait
- Graisse pour l'étain

PRÉPARATION

Mélangez le beurre avec le sucre et les œufs puis ajoutez le reste des ingrédients et mélangez bien le tout. Étalez la pâte sur une plaque à pâtisserie graissée et sécurisez le bord avant contre les fuites avec une bande pliée de papier d'aluminium.

Cuire au four environ 25 minutes à 170 ° C. Couper délicatement le pain en morceaux carrés (environ 1,5 x 1,5 cm) sur la plaque alors qu'il est encore chaud mais plus chaud.

JAMBON BOUILLI AU PAIN

Portions: 1

INGRÉDIENTS

- 600 grammes   Jambon bouilli (jambon bouilli de porc), porc entier ou fumé
- Pour la pâte à levure:
- 250 g   la farine de seigle
- 250 g   farine de blé
- 1 paquet.   Levure sèche
- 1 cuillère à soupe   Hauts de navet
- 2 cuillères à soupe   huile d'olive
- 1 cuillère à café sel
- 375 ml Eau, tiède

- Peut-être. Levain sec, environ 1 à 2 cuillères à soupe

Également:

- Graine de carvi
- 1 cuillère à café de soda (Imperial Soda)
- 50 ml   l'eau

PRÉPARATION

Pétrir la farine, la levure, les feuilles de navet, l'huile, le sel, l'eau et éventuellement 1 à 2 cuillères à soupe de levain sec avec un batteur à main avec crochet pétrisseur dans un grand bol pendant environ 5 minutes jusqu'à ce que la pâte se détache du bord.

Préchauffez brièvement le four à 50 degrés et éteignez-le. Laisser lever la pâte dans le bol recouvert d'un torchon chaud et humide dans le four éteint pendant 30 minutes.

Pétrir la pâte avec un peu de farine et la presser dans un chiffon rond. Placer la viande au milieu et façonner la pâte tout autour en un pain rond. Déposer la pâte de haut en bas sur une plaque à pâtisserie tapissée de papier sulfurisé ou dans une casserole ronde en fonte et laisser lever dans le four tiède éteint pendant 45 minutes maximum. Faites un trou dans le pain pour que la vapeur d'eau puisse s'échapper lors de la cuisson.

En option, en attendant, faites bouillir 50 ml d'eau avec 1 cuillère à café de Kaisernatron et laissez refroidir un peu. Avant la cuisson, badigeonnez le pain cuit avec une partie de la solution de bicarbonate de soude et saupoudrez de graines de carvi.

Sortez brièvement le pain cuit du four et préchauffez le four à 200 degrés. Placez un bol peu profond d'eau chaude au fond du four. Mettez le pain sur la plaque à pâtisserie et faites cuire au four pendant 55 à 60 minutes. Si vous frappez dessus, le pain doit sembler creux.

Le pain peut être consommé chaud ou froid. Pour servir, coupez le pain avec la viande en tranches ou coupez un chapeau du pain, retirez la viande, coupez-la en fines tranches et remettez-la dans le pain. Ensuite, tout le monde peut sortir des tranches avec une fourchette et casser un morceau de pain.

PAIN POUDRE 4 GRAINS III

Portions: 1

INGRÉDIENTS

- 150 grammes   Avoine, congelée, moulue
- 150 grammes   Épeautre - grains entiers, moulu
- 150 grammes   Orge (orge nue), moulue
- 50 grammes   Amarante, moulue
- 1 pincée (s) de sucre de canne
- 1 cuillère à café de sel
- 1 sac / n poudre à pâte (tartre)
- 2 cuillères à café Mélange d'épices pour pain OU
- Carvi, coriandre, anis + fenouil entiers ou mélangés
- 400 ml Eau minérale gazeuse

PRÉPARATION

Congelez l'avoine au moins 1 heure avant de la broyer. Laissez tous les ingrédients secs se mélanger.

Ajouter environ 400 ml d'eau minérale gazeuse, à faible niveau, suffit, laissez bien remuer, 5-8 minutes, cela crée également une belle miette.

Versez env. 750 ml d'eau dans une lèchefrite sous les moules à pâtisserie.

Placer la pâte dans un petit plat de cuisson recouvert de papier sulfurisé ou façonner un petit pain, entailler la pâte + cuire au four.

Comme cela ne vaut pas la peine d'utiliser le four pour ce petit pain, je fais cuire trois miches de pain en même temps. Cuire au four froid à 160 ° C pendant env. 60 à 70 minutes.

Échantillon d'aiguille.

TABLE DE PAIN DE MAÏS

Portions: 1

INGRÉDIENTS

- 500 grammes   Grains de maïs, (sans pop-corn)
- 200 grammes   Pois chiches
- 1 cuillère à café de mélange d'épices, (épices à pain)
- 1 cuillère à café de sel
- 1 pincée (s) de sucre de canne
- 1 ½ sac / n de levure chimique
- 400 grammes   Eau minérale gazeuse
- 500 ml Kéfir à base de lait 1,5%

PRÉPARATION

Broyez le maïs et les pois chiches ensemble. Mélangez bien tous les ingrédients secs, ajoutez le kéfir + l'eau ensemble + remuez, cela devrait être comme une pâte, mieux vaut un peu plus de liquide, ça lève mieux. Versez la pâte dans le plat de cuisson recouvert de papier sulfurisé, lissez + couvrez avec l'excédent de papier sulfurisé. Cuire au four froid à 160 ° C pendant 70 minutes, rien de plus n'est utile, juste la croûte sera dure.

Préchauffer à feu supérieur et inférieur à env. 190 ° C et cuire au four env. 45 à 60 minutes.

Avec la circulation de l'air dans la lèchefrite, qui se trouve tout en bas, versez env. 500 ml d'eau, avec chaleur de haut et de bas, mettez une tasse d'eau chaude à côté de la plaque à pâtisserie.

PAIN ST, ZEZKAZGAN

Portions: 1

INGRÉDIENTS

- 230 grammes   Pâte (levain)
- Pour la pâte: (pré-pâte)
- 200 grammes   Maïs, moulu
- 300 ml Eau minérale
- Pour la pâte: (pâte principale)
- 100g   Millet, moulu
- 50 grammes   Amarante, moulue
- 50 grammes   Riz brun, grain moyen, moulu
- 1 cuillère à café de coriandre, avec mouture +
- 1 cuillère à café de graines de carvi, avec mouture

- 1 cuillère à café de sel
- 1 pincée (s) de sucre de canne
- 125 ml Lait, env.

PRÉPARATION

Ajouter les ingrédients de la pré-pâte au levain + remuer, couvrir d'un linge humide + reposer ou laisser lever, à température ambiante. Durée une à quatre heures.

Remuer la pré-pâte + ajouter tous les ingrédients jusqu'au sucre + laisser remuer, attention à la quantité de liquide, éventuellement plus ou moins, doit être visqueuse.

Verser dans un moule à pain de 24 cm tapissé de papier sulfurisé, lisser et laisser lever à nouveau à température ambiante jusqu'à ce que la pâte soit bien levée.

Badigeonner la pâte levée de liquide + si le four est déjà préchauffé, cuire env. 50-60 min à env. Four ventilé à 150 ° C, sinon cuire au four froid à env. Four ventilé à 150 ° C pendant env. 70 min. Échantillon d'aiguille,

Laisser dans le moule pendant env. 10 minutes, saisissez soigneusement le papier sulfurisé + placez-le sur la grille à gâteau + déballez + badigeonnez d'huile ou d'eau, refroidissez + coupez avec un couteau de scie par le bas.

JARES - PAIN

Portions: 4

INGRÉDIENTS

- 1 kg de farine (farine de blé)
- 2 poignées de sucre
- 1 pincée (s) de sel
- 1 boîte de lait condensé
- 1 cube Levure
- l'eau

PRÉPARATION

Ajouter la farine, le sucre et le sel dans le bol. Versez le lait concentré dans un récipient doseur et remplissez jusqu'à un demi-litre d'eau tiède. Important: le liquide ne doit jamais être trop chaud. Gardez vos doigts propres, idéalement, vous ne devriez pas sentir du tout le liquide. La levure est émiettée dans ce liquide (au fait, la levure sèche aussi).

Remuez et pétrissez la pâte jusqu'à ce qu'elle soit complètement lisse, douce et sèche. Sous forme graissée, laissez ensuite monter au four pendant une heure à 100 degrés, faites cuire encore une heure à 200 degrés. Attention, les poêles électriques sont parfois différents. Je mets toujours un morceau de papier sulfurisé sur le dessus pour que le pain ne devienne pas trop sombre sur le dessus.

POUDRE À PÂTISSERIE - PAIN

Portions: 1

INGRÉDIENTS

- 100g   Avoine, congelée, moulue
- 200 grammes   Épeautre - grains entiers, moulu
- 100g   Épeautre vert, moulu
- 100g   Seigle - grains entiers, moulu
- 1 pincée (s) de sucre de canne
- 1 cuillère à café de sel
- 1 sac / n poudre à pâte (tartre)
- 1 cuillère à café de mélange d'épices pour pain OU
- Graines de carvi, coriandre, anis + fenouil entiers ou moulus

- 450 ml Wat minéral pétillanteuh

PRÉPARATION

Congelez l'avoine au moins 1 heure avant de la broyer. Mélanger tous les ingrédients secs.

Ajoutez environ 450 ml d'eau minérale gazeuse, à faible niveau, assez, laissez bien remuer, 5-8 minutes, cela crée également une belle miette.

Versez env. 750 ml d'eau dans une lèchefrite.

Mettez la pâte dans un petit plat de cuisson recouvert de papier sulfurisé ou façonnez-la en un petit pain, entaillez la pâte + faites cuire au four.

Comme cela ne vaut pas la peine d'utiliser le four pour ce petit pain, je fais cuire trois miches de pain en même temps. Après la cuisson, badigeonnez le pain d'eau chaude.

Cuire au four froid à 160 ° C pendant environ 60 à 70 minutes. Échantillon d'aiguille.

PAIN BERLIN

Portions: 1

INGRÉDIENTS

- 250g de beurre
- 2 cuillères à café de cannelle
- 1 cuillère à café de clou de girofle, moulu
- 300 g de noix, moulues
- 100 g de noix, entières
- 200 g d'amande (moitié moulue + moitié entière)
- 60 g de cacao en poudre
- 2 oeufs)
- 500 grammes   Farine
- ½ paquet. Levure chimique

- 1 pincée (s)   sel
- 500 grammes   Sucre (sucre brun farin)

PRÉPARATION

Mélangez le tout, puis laissez au four à 150-175 ° C sur la chaleur du haut et du bas pendant environ 35 à 40 minutes.

Il est préférable de le couper avec un couteau électrique pendant qu'il est encore chaud.

ROULEAU DE LAIT

Portions: 22

INGRÉDIENTS

Pour la pâte: (pré-pâte

- 500 grammes   Farine de blé 405
- 1 cube Levure, fraîche
- 500 ml Lait, 1,5%
- Pour la pâte:
- 500 g farine de blé 405
- 150 g) sucre
- 50 g de margarine ou de beurre
- 16 g de sel

- 10 g de malt pâtissier

Pour la peinture:

- Quelque chose de lait, 1,5%

PRÉPARATION

J'ai pris cette recette du boulanger S., le boulanger "blogueur", et je l'ai convertie en un montant familial normal! La recette originale est conçue pour 10kg de farine et bien sûr avec de la margarine (sinon ce ne sont pas des rouleaux de RDA) !! Le malt à cuire est facultatif, mais pour moi il en fait simplement partie: une question de goût! La recette est tout simplement super délicieuse et absolument sûre de réussir! Pour moi, LA recette du tout.

Dissoudre la levure dans le lait, ajouter à la farine, préparer une pré-pâte. Laisser monter dans un endroit chaud jusqu'à ce qu'il ait doublé (ça me dit souvent 1 heure, ça ne me dérange pas!). Ajoutez ensuite le reste des ingrédients à la pré-pâte et mélangez avec le crochet pétrisseur du robot culinaire jusqu'à formation d'une masse homogène. Encore 30 minutes de repos de pâte (ici aussi, il m'est souvent arrivé de l'avoir laissée debout plus longtemps).

Pétrir à nouveau la pâte sur un plan de travail légèrement fariné, cette fois à la main, et façonner en petits pains (environ 80 g chacun). Déposer sur une plaque à pâtisserie tapissée de papier sulfurisé. Badigeonner de lait.

Préchauffez maintenant le four. En fonction de l'appareil entre 200-220 ° C, rappelez-vous, la lampe du four aime mentir, si possible vérifier la température avec un thermomètre de four, la température réelle doit être d'environ 200 ° C.

Badigeonner à nouveau les rouleaux de lait pendant la cuisson. Faites une coupe juste avant la cuisson et badigeonnez à nouveau de lait. Cuire au four environ 15 minutes, mais attention: ils brunissent rapidement à cause du lactose! Observer! Pendant les

5 dernières minutes du temps de cuisson, il est préférable de pousser la plaque à pâtisserie d'un niveau plus bas (avec chaleur haut / bas!).

PICS DE POMMES DE TERRE SELON LA RECETTE DE GRANDMA

Portions: 1

INGRÉDIENTS

1 ½ kg Pomme de terre

1 cube Levure

1 kg Farine

1 poignée sel

PRÉPARATION

Râpez les pommes de terre, saupoudrez de sel. Ajouter la moitié de la farine, émietter la levure dessus. Ajoutez l'autre moitié de la farine à Ann et mélangez le tout.

Laisser lever la pâte dans un récipient allant au four (couvrir d'un torchon) pendant env. 1,5 heure à env. 50 ° C. Remplissez ensuite un grand moule à pain (moule à pain) et faites cuire pendant env. 1,5 heure à 175 ° C (chaleur haut / bas).

Le résultat est un gros pain. Une fois refroidi, il est coupé en tranches et frit dans la poêle. Vous pouvez enrober le Pickert de votre choix de beurre, beurre salé, confiture ou feuilles de navet. Certains l'aiment même avec la saucisse de foie.

PAIN D'ÉPELLETÉ ENTIER AVEC GRAINES DE COQUELICOT ET GRAINS

Portions: 1

INGRÉDIENTS

- 500 grammes   Farine d'épeautre, grains entiers
- 100 g de graines de tournesol
- 50 g de graines de pavot, moulues
- 20 g de graines de lin
- 50 g de flocons de céréales (flocons de 5 grains)
- 1 cuillère à soupe   sel
- 400 ml l'eau tiède
- 42 grammes   Levure (1 cube)

PRÉPARATION

Mélangez la farine d'épeautre avec le sel, la levure et les céréales. La quantité de céréales peut varier à votre guise, vous pouvez également ajouter des graines de citrouille ou d'autres céréales si nécessaire. Une pâte lisse est préparée avec de l'eau tiède, qui est placée dans un endroit chaud pour reposer pendant 30 minutes.

Pétrissez à nouveau bien la pâte et façonnez-la en une miche de pain. Personnellement, j'aime le faire cuire dans un moule à pain, car il ne sèche pas autant pendant la cuisson et il est plus facile de le couper plus tard.

La miche de pain est maintenant cuite en morceaux et laissée lever à env. 35 ° C pendant 30 minutes au four. Ensuite, vous faites cuire la miche de pain à env. 200 ° C pendant encore 50 minutes et un pain super délicieux est prêt.

ROULEAUX D'ORIGAN PARMESAN

Portions: 1

INGRÉDIENTS

- 250 g   Farine, 405
- 100g   Farine d'épeautre
- 50 g de semoule
- 42 g de levure, fraîche
- 2 cuillères à café   sel
- 1 cuillère à café de sucre
- 240 ml Eau, tiède
- 2 cuillères à soupe   Parmesan, pour saupoudrer

- 2 cuillères à café d'origan séché à saupoudrer

PRÉPARATION

Ajouter la levure à l'eau tiède et dissoudre. Mettez tous les ingrédients dans un bol et mélangez, ajoutez l'eau de levure et pétrissez bien pendant 10 minutes. Laisser lever le bol pendant 20 minutes dans un endroit chaud, par exemple dans un four légèrement chauffé.

Préchauffez le four à 180 degrés.

Pétrir légèrement la pâte, former 12 rouleaux, déposer sur une plaque à pâtisserie et laisser lever encore 10 minutes.

Râper le parmesan et mélanger avec l'origan. Badigeonner les rouleaux d'eau et les couper en eux puis saupoudrer du mélange de parmesan et d'origan et cuire au four environ 25 minutes.

PAIN À L'ÉPELLE (RECETTE MC)

PORTIONS: 1

INGRÉDIENTS

- 600 grammes   Farine d'épeautre entière
- 500 ml Eau, tiède
- 250 g   Quark
- 50 g de flocons d'avoine
- 1 cuillère à café de sucre
- 2 cuillères à café   sel
- ½ cube Levure

PRÉPARATION

La recette est pour le TM, je l'ai faite avec le Krups Prep & Cook. Mais cela devrait également fonctionner avec d'autres machines ou à la main.

Préchauffer le four à 200 ° C en haut et en bas. Mettez une tasse d'eau dans le four.

Insérez les couteaux à pétrir et à farine, versez tous les ingrédients dans la casserole et démarrez le programme de pâte P2

Graisser un moule à pain et y verser la pâte. Saupoudrer de graines de citrouille ou quelque chose de similaire.

Après environ 10 minutes de cuisson, couper dans le dessus du pain. Cuire encore 50 minutes. Le pain est prêt quand il semble creux.

Le pain a une belle croûte et reste juteux et frais pendant longtemps. Amusez-vous à essayer

CONCLUSION

Le régime du pain est généralement considéré comme adapté à un usage quotidien. Parce qu'il n'y a pas de changements majeurs à faire. Cependant, les 5 repas par jour doivent être respectés pour que la combustion des graisses puisse être déclenchée. Par conséquent, le pronostic de l'endurance est également assez bon. Le régime pain peut être effectué pendant plusieurs semaines sans hésitation. La nécessité de compter les calories nécessite une planification minutieuse des repas. Cependant, le régime du pain n'est pas unilatéral - ne serait-ce que par le fait que le repas du midi est consommé normalement. Le régime pain est uniquement destiné aux utilisateurs qui peuvent prendre leur temps pour le petit-déjeuner et les autres repas. Parce que la nourriture doit être bien mâchée.

Ce qui est autorisé, ce qui est interdit

Il n'est pas permis d'étaler du beurre épais sur du pain pendant le régime de pain. Mais il vaut mieux se passer entièrement de beurre ou de margarine. La garniture ne doit pas non plus être trop épaisse. Une tranche de saucisse ou de fromage par pain doit suffire. Vous devez boire 2 à 3 litres pendant le régime pain, à savoir de l'eau, du thé ou des jus de fruits sans sucre.

SPORT - NÉCESSAIRE?

L'exercice ou le sport régulier ne sont pas au centre d'un régime de pain. Mais ce n'est pas nuisible de faire le sport comme avant

Régimes similaires

Comme dans le régime chou, le chou ou dans le régime jus de fruits différents, le régime pain se concentre sur le pain alimentaire.

COÛT DU RÉGIME

Il n'est pas nécessaire de s'attendre à des coûts supplémentaires par rapport à ceux consacrés à l'épicerie normale avec le régime pain. Le pain de blé entier coûte un peu plus cher que le pain de farine blanche. Mais les différences ne sont pas si grandes. Il n'est pas non plus nécessaire d'acheter des produits biologiques séparément. Tout comme pour les autres achats, il suffit de faire attention à la fraîcheur de la marchandise.

CE QUI EST PERMIS, CE QUI EST INTERDIT

Il n'est pas permis d'étaler du beurre épais sur du pain pendant le régime de pain. Mais il vaut mieux se passer entièrement de beurre ou de margarine. La garniture ne doit pas non plus être trop épaisse. Une tranche de saucisse ou de fromage par pain doit suffire. Vous devez boire 2 à 3 litres pendant le régime pain, à savoir de l'eau, du thé ou des jus de fruits sans sucre.

La durée recommandée du régime pain est de quatre semaines. Mais il est également possible de l'étendre. Vous devriez perdre environ deux livres par semaine.

Les rations quotidiennes se composent de cinq repas. Celles-ci doivent également être respectées afin d'éviter les sentiments de faim.

De plus, l'organisme peut utiliser les précieux nutriments de cette manière de manière optimale. Il est également important de boire beaucoup.

Grâce à l'approvisionnement alimentaire équilibré du pain, le régime alimentaire peut, avec des calories appropriées à proximité, même pour toute la famille à effectuer. En même temps, il présente également l'avantage que les travailleurs peuvent également l'utiliser facilement; la plupart des repas peuvent être préparés puis emportés.

Si cela est fait de manière cohérente, une perte de poids de 2 à 3 livres par semaine peut être obtenue. Au final, le régime pain vise à changer le régime alimentaire vers les fruits et légumes et les glucides sains et loin de la viande et des graisses. La quantité élevée de fibres conduit à une sensation de satiété durable.